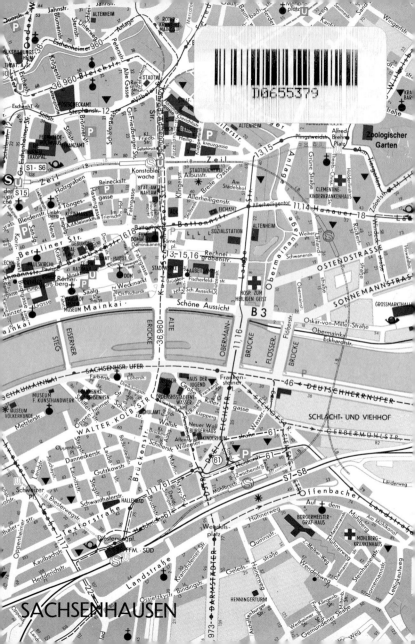

SACHSENHAUSEN

Frankfurt
auf einen Blick

★at a ★de un ★d'un seul
glance vistazo coup d'œil

Fotos LUTZ KLEINHANS
Vorwort GÜNTHER VOGT

DAS TOPOGRAPHIKON · VERLAG ROLF MÜLLER

CIVITAS FRA

4

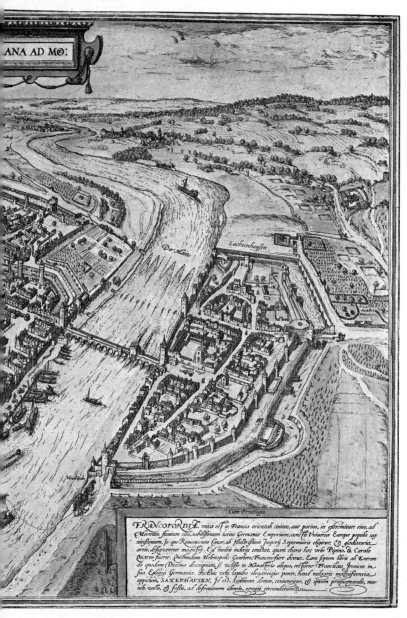

ANA AD MŒ:

Sprendlingen

Do Main

Sachsenhausen

Merckhaim

Cùm Privilegio

FRANCOFORDIÆ, vnica est in Francia orientali ciuitas, aut potius, in extremitate eius, ad
Mœnum fluuium sita, nobilißimum totius Germaniæ Emporium, cum sit Vniuersæ Europæ populis cog-
nitißimum, in quo Romanorum Cæsar, ab illustrißimi Imperij Septemuiris eligitur, & gladiatoriæ
artis, designantur magister. Et multis iniurijs conditæ, quam clara hæc vrbs Pipino, & Carolo
Quarto fuerit. Quibusdam Helenopolis, Guntero, Franconofurt dicitur. Eam septem sibi ab Entran-
do quodam (Ducons descripsisti, se vidisse in Monasterio aliquo, refertur) Franciscus, fronem in
sua Ebræi Germania. Fertur, vrbis lapides elegantißimo ponte, haud vulgaris magnificentia,
oppidum, SAXENHAVSEN, id est, Saxonum domui, coniungitur, & ipsius propugnaculis, moe-
nib. vallo, & fossa, ad defensionem idonei, egregii circumdatum esse............

5

◁ Frankfurt einst und jetzt. Auf den Seiten 2/3 die Mainmetropole mit ihren Brücken, Parks und Wolkenkratzern. Der Kupferstich von Braun und Hogenberg zeigt 1589 die Stadt, als sie ganze 19000 Seelen zählte und gerade ihre Börse gegründet wurde (1585).

Pages 2 & 3 show the city with its bridges, parks and skyscrapers. The copper engraving by Braun and Hogenberg shows Frankfurt in 1589 when its population totalled a mere 19,000 and the Bourse had just been opened (1585).

Frankfurt ayer y hoy. En las páginas 2/3, la ciudad del Main con sus puentes, parques y rascacielos. El grabado de Braun y Hogenberg muestra la ciudad en 1589, cuando tenía 19.000 habitantes nada más y acababa de fundar la Bolsa (1585).

Francfort jadis et aujourd'hui. Aux pages 2/3 la métropole sur le Main avec ses ponts, parcs et gratte-ciel. La gravure sur cuivre de Braun et Hogenberg montre la ville en 1589 lorsqu'elle comptait 19.000 âmes et que sa Bourse venait d'être fondée (1585).

© 1980
DAS TOPOGRAPHIKON · VERLAG ROLF MÜLLER
2000 Hamburg 60 · Printed in Germany

ISBN 3-920953-17-7

Reproduktion, Druck und Buchbindung von Ernst Klett Druckerei, Stuttgart 1 · Fotosatz Maximilian Duhme, Hamburg 60.

Den Stadtplan auf dem Vorsatz stellte freundlicherweise das Stadtvermessungsamt Frankfurt am Main zur Verfügung. Die Luftaufnahme der Seiten 2/3 lieferte Aero-Lux, Frankfurt 1: freigegeben vom Reg.-Präsidenten, Darmstadt, Nr. 321/79; die übrigen Luftaufnahmen, von Lutz Kleinhans, sind freigegeben unter den Nr. 334/79 488/72 (Seiten 66/67 und 116/117). Die historischen Ansichten (Seiten 4/5, 9, 10/11 und 18/19) stammen aus der Sammlung Rolf Müller.

Frankfurt auf einen Blick

Frankfurt liegt nicht am Meer und nicht an hohen Bergen. Dennoch ist es seit jeher ein großer Hafen für Güter, Geld und Gäste, und es strebt immer mehr in die Höhe. Warum? Die Superlative, mit denen sich die Stadt schon mal brüstet, erklären sich letztlich immer aus zwei Ursachen: aus der Gunst seiner geographischen Lage und den Vorteilen, die daraus die Frankfurter mit eigener Kraft gezogen haben. Die Stadt schmiegt sich an einen Fluß, von ferne grüßen freundliche Berge, lieblich ist das Bild, doch eigentlich nicht aufregend. Aber hier kreuzen sich die Verkehrswege Europas von Nord nach Süd und Ost nach West, und das hat Betrieb in die Stadt gebracht seit es Frankfurt gibt. Hier haben selten die Waffen geklirrt, aber immer die harten Taler. Als Freie und Reichsstadt war es gewissermaßen neutraler Boden in Deutschland: Grund genug, daß hier die großen Handelsmessen abgehalten, die deutschen Kaiser gewählt und zuletzt auch gekrönt worden sind und schließlich im Jahr 1848 in der Paulskirche der erste Versuch unternommen worden ist, Demokratie einzuführen. Später ist dann einer der größten Bahnhöfe Europas dazugekommen, ein Flughafen und ein Schnittpunkt von Autobahnen gleicher Bedeutung. Das macht die Stadt begehrt und beneidet, es kennzeichnet die Weltoffenheit, in die jene kleine Republik der Kaufleute hineingewachsen ist aus beschaulicher Enge. Es wundert niemand, daß hier die Deutsche Bundesbank sitzt als Hüter der Währung. Der Frankfurter Bankier Mayer Amschel Rothschild, wenn er noch lebte, würde es für selbstverständlich halten, daß „Kurs Frankfurt" eine Marke im internationalen Devisenhandel ist und das Aktienkapital hiesiger Wertpapierbörse fast 100 Milliarden Mark beträgt, ebenso der Jahresumsatz der Frankfurter Wirtschaft.

Ein anderer Frankfurter, Johann Wolfgang Goethe, würde gewiß staunen, daß seine Landsleute aus eigener Kraft Kunst und Wissenschaft zum Blühen gebracht haben. Sein Geburtshaus am Großen Hirschgraben, ein paar Schritte vom historischen

Zentrum um Kaiserdom, Römer und Paulskirche entfernt, ist Hauptanziehungspunkt für alle Besucher, aber nicht minder das Naturmuseum Senckenberg und das Städelsche Kunstinstitut, am linken Mainufer aufgereiht finden sich Museen für Archäologie, Kunsthandwerk, Postgeschichte, Völkerkunde und Skulpturen, auf der rechten Seite kommen dazu das Museum der Frankfurter Geschichte und Erinnerungsstätten für berühmte Bürger wie den Philosophen Artur Schopenhauer, den Erfinder des „Struwwelpeters", Dr. Heinrich Hoffmann, den Serologen Paul Ehrlich, den Mundartdichter und politischen Publizisten Friedrich Stoltze. Zehn Theater offerieren ein breites Programm von der großen Oper bis zum kleinen Mundartlustspiel, Zoo und Palmengarten, Platz für Tiere und Blüten, zählen im Jahr die Besucher nach Millionen. Nicht zu zählen sind die Gäste, wenn Frankfurt feiert: am Wäldchestag, dem Dienstag nach Pfingsten, auf der Dippemeß und dem Mainfest; ganzjährige Fröhlichkeit erlebt der Besucher am besten in den malerischen Gassen des alten Sachsenhausen, wo der Apfelwein in Strömen fließt. Die Frankfurter sind von altersher geübt, die Welt zu Gast zu haben. Sogar auf ihrem jüngsten Giganten, dem 331 Meter hohen Fernmeldeturm, haben sie ein rotierendes Restaurant eingerichtet. Wer da hinauffährt, erblickt innerhalb einer Stunde das Frankfurter Panorama: im Norden abgeschlossen von den Höhen des Taunus, die am Rhein enden, wo er am schönsten ist; im Westen dampft die Höchster Chemie; im Süden sieht man in jeder Minute einen Düsenclipper starten oder landen und hat ein Bild davon, daß hier jährlich 17 Millionen Passagiere den Flughafen Rhein-Main benutzen; im Osten erstreckt sich hügelig die Landschaft mit malerischen Dörfern und Industrieansiedlungen. Alles durchzogen von den brausenden Strömen der Autostraßen und Schnellbahnen. Die Stadt selbst: Bürotürme haben die Kirchtürme degradiert; man kann es glauben, daß über 300 Banken hier ansässig sind. Und dann wieder überraschend viele Grünanlagen dazwischen. Jeder wird Goethes Meinung sein, daß Frankfurt voller Merkwürdigkeiten steckt.

Malerisches Frankfurt um 1840. Der Blick vom Markt auf den Dom. Picturesque Frankfurt around 1840. View from market-square.

Frankfurt pintoresco hacia 1840. La Catedral vista desde el mercado. Francfort pittoresque vers 1840. Vue du marché sur la cathédrale.

Frankfurt, die freie Reichsstadt, mit ihrem regen Handel, kurz bevor 1806 mit dem Abbruch der Festungswälle begonnen wurde.

Frankfurt, the Free Imperial City, a busy trading centre, shortly before the fortification walls were pulled down in 1806.

Frankfurt, Ciudad Libre e Imperial, con su activo comercio, poco antes de derribar las murallas defensivas en el año 1806.

La ville libre et impériale avec son commerce actif peu avant que n'ait commencé la démolition des remparts en 1806.

Frankfurt at a glance

Frankfurt lies neither on the coast nor in the mountains, yet is has always been a haven for merchandise, money and visitors, and is ever striving to attain new heights. Why is this? The superlatives the city prides itself in can be explained by two factors: a favourable geographical location and the ability of the Frankfurter to make capital out of this. The city hugs a river, friendly mountains beckon in the distance, the surrounding landscape is gentle, not particularly exciting. But this is where Europe's traffic routes, from north to south, from east to west, cut across each other, and this has always brought activity into the city, ever since Frankfurt has existed. If arms have seldom clinked here, gold and silver coins always have. As Free and Imperial City, Frankfurt was, to a certain extent, neutral territory in Germany. This is how Frankfurt became the place for staging large trade fairs, where the German emperors were elected and crowned, and where in 1848, the first attempt was made in the Paulskirche to introduce democracy. In later years, one of the largest railway stations in Europe was built here; and now the city possesses the largest airport in Germany and a motorway intersection which is just as important for the country's road communications. All this makes Frankfurt's location both desirable and enviable; out of a small, leisurely republic of merchants has grown an outward-looking, dynamic city. It is no matter for surprise that the German Federal Bank has its head office in Frankfurt. Were he alive today, the Frankfurt banker, Mayer Amschel Rothschild, would certainly take it for granted that the "Frankfurt rate" is the main index in international currency dealings and that the securities quoted at the Frankfurt Stock Exchange are valued at almost 100,000 million Dmarks, which also represents the annual turnover of the Frankfurt economy.

Another Frankfurter, Johann Wolfgang Goethe, would certainly be amazed at the amount of art and science his fellow-citizens can bear credit for. His birthplace in Grosser Hirschgraben, a stone's throw from the historic centre around the cathedral, Römer and Paulskirche, is one of the main attractions for visitors, but equally interesting are the Senckenberg Natural Museum and the Städelsche Institute of Art. On the left bank of the Main stand the Museums of Archaeology, of Arts and Handicrafts, of Postal History, of Ethnology and of Sculpture, and on the right bank of the river can be found the Museum of Frankfurt History and the places of remembrance for famous citizens such as the philosopher, Artur Schopenhauer, the inventor of "Struwwelpeter", Dr. Heinrich Hoffmann, the serologist, Paul Ehrlich, and the political writer, Friedrich Stoltze, who is also famous for his poems in the local dialect. Ten theatres afford a wide and varied choice of entertainment and culture from grand opera to plays in the vernacular. The Frankfurt Zoo and Palm Gardens attract millions of visitors each year. It is impossible to count the people who come to Frankfurt's public festivals: the Wäldchestag on the Tuesday after Whitsun, the Dippemess and the Mainfest. Fun and conviviality all the year round can be found in the narrow, picturesque streets of Sachsenhausen where the apple wine flows freely. The Frankfurters have always been used to entertaining visitors from all parts of the world. They have even built a revolving restaurant in the new 1,090-ft Post Office Tower. Within the space of one hour, you turn a full 360 degrees and have a magnificent view of Frankfurt and its surroundings. To the north, the Taunus Mountains falling away towards the Rhine, to the west, the Höchst chemical works. Looking south, you can see aircraft taking off or landing every minute, so it is easy to understand how it is that 17 million passengers a year use Rhine-Main Airport. To the east lies hilly landscape dotted with picturesque villages and the odd factory here and there. The region is permeated by busy roads and railways. As for the city itself: soaring office blocks dwarf church towers. It is hard to believe that 300 banks have their head offices here. And it is also surprising how many parks and gardens there are. Everyone will agree with Goethe when he said that Frankfurt is full of remarkable things.

Frankfurt de un vistazo

Frankfurt no está situado junto al mar ni cerca de elevadas montañas. Y a pesar de todo, es un gran puerto de mercancías, dinero y forasteros, y cada vez gana más altura. ¿Por qué? Los superlativos con los que se suele engalanar la ciudad pueden explicarse por dos razones: su favorable situación geográfica y las ventajas que sus habitantes han sabido conseguir de ella con sus propias fuerzas. La ciudad se ciñe a un río y de lejos se contemplan bellas montañas; una grata estampa pero no puede decirse que sea emocionante. Aquí se cruzan las vías de Europa, de Norte a Sur y de Este a Oeste, y esto es lo que le ha dado vida a la ciudad desde que existe. Pocas veces se han blandido las espadas pero cuánto más han sonado los ducados. Como Ciudad Libre e Imperial fue, por decirlo así, suelo neutral de Alemania: motivo suficiente para que se celebraran aquí las grandes Ferias mercantiles, se eligiesen los Emperadores e incluso se coronasen y, finalmente, en 1848, se hiciese el primer intento de introducir la Democracia, en la Paulskirche. Más tarde se construyó aquí la mayor estación ferroviaria de Europa, un aeropuerto y el eje crucial de autopistas de la misma importancia. Todo ello convierte a Frankfurt en una ciudad solicitada y envidiada; y caracteriza el aire cosmopolita de aquella pequeña República de comerciantes, desarrollada en un reducido y contemplativo espacio. A nadie asombrará que el Banco Federal Alemán tenga aquí su sede, como guardián de la moneda. El banquero de Frankfurt, Mayer Amschel Rothschild, consideraba, mientras vivió, como la cosa más natural el "cambio Frankfurt" como una marca en el mercado internacional de divisas y que el capital en acciones de la bolsa de valores frankfurtesa alcanzase casi los 100.000 millones de marcos, lo mismo que el volumen de negocios de la Economía local.

Otro frankfurtés, Johann Wolfgang Goethe, se asombraría seguramente de que sus paisanos hubiesen hecho florecer por su propio esfuerzo el Arte y las Ciencias. Su casa natalicia, en Grossen Hirschgraben, a pocos pasos del corazón histórico en torno a la Catedral imperial, Römer y la Paulskirche, es un centro de atracción principal de los visitantes, aunque no menos lo son el Museo Natural Senckenberg y el Instituto de Arte Städel. A la orilla izquierda del Main se encuentran en una misma fila los Museos de Arqueología, Artesanía, Historia del Correo, Antropología y Escultura; en la orilla derecha se encuentran el Museo de Historia de Frankfurt y monumentos conmemorativos de ciudadanos famosos, como el filósofo Artur Schopenhauer, el serólogo Paul Ehrlich, entre otros. Diez teatros ofrecen un amplio programa, desde la gran Opera hasta la pequeña comedia vernácula; el Parque Zoológico y el Jardín de Palmeras son visitados anualmente por millones de personas. Incontable es el número de forasteros durante las fiestas locales: Wäldchestag, el Martes después de Pentocostés, Dippemess y la Mainfest; y durante todo el año el forastero disfrutará el alegre ambiente de las pintorescas callejas del antiguo Sachsenhausen, donde la sidra corre a torrentes. Los habitantes de Frankfurt están habituados tradicionalmente a tener al mundo entero como invitado. Incluso en su gigante más joven, la torre de telecomunicación de 331 metros de altura, han instalado un restaurante giratorio. Quien sube allí y permanece la hora que tarda en girar sobre su eje, divisa una panorámica de Frankfurt. Al Norte, limitada por las alturas del Taunus que terminan en el Rhin; al Oeste, los vapores de la industria química Höchst; al Sur, se ve despegar y aterrizar cada minuto un reactor de pasajeros, lo que permite comprender que 17 millones de personas utilicen anualmente el aeropuerto del Rhin-Main; al Oeste, un paisaje ondulado con pintorescas aldeas e industrias intercaladas. Todo ello cruzado por el estruendo del tráfico de las autopistas y ferrocarriles. La ciudad misma ha relegado con sus edificios de oficinas las torres de la iglesias; puede creerse que más de 300 bancos tienen aquí su sede y, sorprendentemente, los espacios verdes aparecen por todas partes. Todos están de acuerdo con Goethe en que Frankfurt está lleno de curiosidades.

Francfort d'un seul coup d'œil

Francfort ne se trouve ni au bord de la mer ni au pied de hautes montagnes. Et pourtant elle est depuis toujours un grand port pour les marchandises, l'argent et les visiteurs et aspire de plus en plus à atteindre les sommets. Pourquoi? Les superlatifs dont s'enorgueillit parfois la ville s'expliquent essentiellement par sa situation géographique et par les avantages que les Francfortois ont su en tirer. La ville se blottit près d'un fleuve, au loin s'élèvent d'aimables montagnes, spectacle charmant mais qui n'a à vrai dire rien d'extraordinaire. Mais ici se croisent les voies de communication du Nord au Sud et de l'Est à l'Ouest de l'Europe, ce qui depuis toujours a apporté une grande animation dans la cité. Le cliquetis des armes a rarement retenti ici mais par contre celui des belles monnaies d'argent. Ville libre et impériale, elle fut en quelque sorte terrain neutre: raison suffisante pour qu'elle fût le siège de grandes foires commerciales, que les empereurs allemands y fussent élus et couronnés et qu'enfin en 1848 fût tenté dans la Paulskirche le premier essai d'instaurer la démocratie. Plus tard sont venus s'ajouter l'une des plus grandes gares d'Europe, un aéroport et un important carrefour d'autoroutes. Tout cela en fait une ville convoitée et jalousée et caractérise son cosmopolitisme. Personne ne s'étonnera que la Deutsche Bundesbank, gardienne de la monnaie, ait son siège ici. S'il vivait encore, le banquier francfortois M. A. Rothschild trouverait tout à fait normal que le «cours de Francfort» soit une marque dans le commerce international de devises et que le capital-actions de la Bourse de valeurs s'élève à près de 100 milliards ainsi que le chiffre d'affaires annuel de l'économie francfortoise.

Un autre Francfortois, Johann Wolfgang Goethe, serait certainement surpris que ses compatriotes soient parvenus à rendre si florissants les arts et les sciences. Sa maison natale, rue Grosser Hirschgraben, à quelques pas du centre historique avec la cathédrale, le Römer et la Paulskirche attire tous les visiteurs ainsi du reste que le musée d'histoire naturelle Senckenberg et l'institut des arts Städel; sur la rive gauche du Main se succèdent les musées d'archéologie, d'art artisanal, d'histoire de la poste, d'ethnologie et des sculptures, sur la rive droite le musée historique de Francfort et de monuments commémorant de célèbres habitants comme le philosophe Artur Schopenhauer et le sérologue Paul Ehrlich. Dix théâtres offrent un vaste programme, du grand opéra à la petite comédie en dialecte. Le zoo et le jardin des palmiers attirent annuellement des millions de visiteurs. Impossible de dénombrer tous ceux qui se rendent aux fêtes de Francfort, «Wäldchestag», le mardi après la Pentecôte, «Dippemess» et la «Mainfest»; c'est dans les ruelles pittoresques du vieux Sachsenhausen où le cidre coule à flots que le visiteur appréciera le mieux la gaieté francfortoise. Les Francfortois ont toujours été hospitaliers. Au sommet de leur plus jeune géant, la tour-relais de communication haute de 331 m., ils ont même installé un restaurant rotatif; de là-haut on peut contempler en une heure le panorama de Francfort. Au Nord le massif du Taunus qui arrive jusqu'au Rhin; à l'Ouest, les fumées des usines chimiques de Höchst; au Sud on voit chaque minute décoller ou atterrir un avion: 17 millions de passagers utilisent annuellement l'aéroport Rhin-Main; à l'Ouest s'étend un paysage vallonné avec de pittoresques villages séparés par des zones industrielles. Le tout sillonné par le réseau des autoroutes et lignes électriques. La ville elle-même: les buildings administratifs ont dégradé les clochers, on n'a pas de mal à croire que plus de 300 banques ont ici leur siège mais on est surpris de découvrir tant d'espaces verts. Tout le monde partagera alors l'avis de Goethe selon lequel Francfort est une ville pleine de singularités.

Der Römerberg um 1835. Links die drei Hauptgebäude des Römers, Wahrzeichen der Stadt und einst Schauplatz glanzvoller Kaiserkrönungen. In der Mitte das „Haus zum Römer", links das Haus „Alt-Limpurg" und rechts „Löwenstein".

The Römerberg around 1835. On left, the three main buildings on the Römer, a prominent feature and once setting for spectacular coronations. In the centre, the "Haus zum Römer", on left, "Alt Limpurg" House and on right, the "Löwenstein".

El Römerberg hacia 1835. A la izquierda los tres edificios principales del Römer, símbolo de la ciudad y escenario de brillantes coronaciones imperiales. En el centro la "Haus zum Römer", a la izquierda, la casa "Alt-Limpurg" y a la derecha "Löwenstein".

Le Römerberg vers 1835. A gauche les 3 bâtiments principaux du Römer, emblème de la ville où furent jadis couronnés les empereurs. Au milieu la «Haus zum Römer», à gauche la maison «Alt Limpurg" et à droite «Löwenstein».

Der Römerberg und die nach den Zerstörungen von 1943 wiederaufgebauten Römerhäuser. Der Platz ist immer noch Frankfurts „gut Stubb".

The Römerberg and Römer houses which were rebuilt after the war. This square is still Frankfurt's "best parlour".

El Römerberg y las casas del Römer reconstruidas tras los bombardeos de 1943. La plaza sigue siendo "el salón" de Frankfurt.

Le Römerberg et les maisons du Römer reconstruites après les destructions de 1943. Cette place est toujours le «salon» de Francfort.

Der Kaisersaal des Römers sah einst die Krönungsbankette für zehn deutsche Kaiser. 1978 wurde hier Präsident Carter empfangen.

The Kaisersaal has seen ten coronation banquets for German emperors in its time. In 1978, President Carter was received here.

El salón del Emperador del Römer vio los banquetes de Coronación de diez Emperadores alemanes. En 1978 se recibió aquí al Presidente Carter.

Dans la Salle impériale du Römer eurent lieu des banquets de couronnement pour 10 empereurs. Le président Carter y fut reçu en 1978.

Altes und neues Frankfurt vom Dom gesehen. Rechts der Betonkoloß des Technischen Rathauses von 1972, daneben das Steinerne Haus, dahinter die Paulskirche. Links die Nikolaikirche. Hinter dem Römer das hochaufragende Bankenviertel.

Old and new Frankfurt viewed from the cathedral. On right, the huge concrete "Technical" Town Hall (b. 1972), and beside it, the "Steinerne Haus" with Paulskirche behind. On left, the Nikolaikirche. Behind the Römer, the buildings of the banking quarter.

Viejo y nuevo Frankfurt, visto desde la Catedral. A la derecha el coloso de cemento del Ayuntamiento Técnico, de 1972; al lado, la Steinerne Haus; detrás la Paulskirche. A la izquierda, la Nikolaikirche. Tras el Römer, el barrio de la Banca.

Vieux et nouveau Francfort vu de la cathédrale. A dr. le colosse de béton de la mairie administrative de 1972, à côte la «Steinerne Haus», derrière la «Paulskirche». A g. la Nikolaikirche. Derrière le Römer, le quartier des banques.

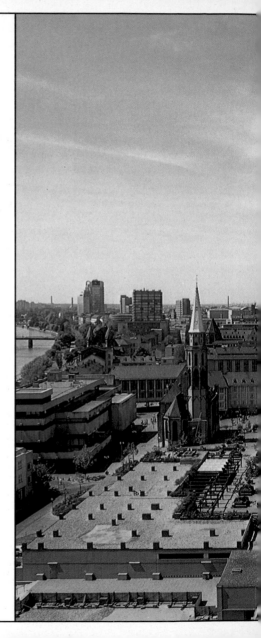

Von Frankfurts frohen Festen: Jazz vor dem Steinernen Haus, der Urfaust auf hessisch vor dem Römer. Rechts der Justitiabrunnen.

Festival time in Frankfurt: jazz in front of the Steinernes Haus, "Urfaust" in Hessian dialect before the Römer. Right the Justitia Fountain.

Alegres fiestas de Frankfurt: Jazz en Steinernen Haus, el Fausto primitivo en vernáculo, en el Römer. Derecha: fuente de la Justicia.

Francfort en fête: jazz devant la Steinernes Haus, le Faust primitif en dialecte devant le Römer. A droite la fontaine Justitia.

Zu Füßen des Domes zeugen die Reste römischer und karolingischer Siedlungen vom ältesten Frankfurt. Rechts die Nikolaikirche.

At the foot of the cathedral, the remains of Roman and Carolingian settlements remind us of Frankfurt's origins. Right, the Nikolaikirche.

Al pie de la Catedral, ruinas romanas y carolingias testimonian los orígenes de Frankfurt. A la derecha la Nikolaikirche.

Au pied de la cathédrale: les plus anciens vestiges de Francfort d'habitats romains et carolingiens. A droite la Nikolaikirche.

Saalhof und Rententurm am Main
Saalhof and Rententurm on the Main
Saalhof y Rententurm junto al Main
«Saalhof» et «Rententurm» sur le Main

Haus Wertheim von 1610 am Fahrtor
Wertheim House (1610) at Fahrtor
Haus Wertheim de 1610 en Fahrtor
Maison «Wertheim» de 1610

St. Bartholomäus, der Dom, einst Krönungskirche der deutschen Kaiser.
St. Bartholomäus, the cathedral where the German emperors were once crowned.

St. Bartholomäus, la Catedral donde coronaban a los Emperadores.
La cathédrale St. Bartholomäus, où furent jadis couronnés les empereurs.

Die Paulskirche, erbaut 1789 bis 1833, ist seit der „Deutschen Nationalversammlung" von 1848 ein Symbol deutscher Einheit.

The Paulskirche (built 1789 — 1833), has been a symbol of German unity since the "German National Assembly" of 1848.

La Paulskirche, construida de 1789 a 1833, símbolo de la unidad alemana desde la Asamblea Nacional Alemana de 1848.

La Paulskirche, construite de 1789 à 1833 symbolise depuis l'"Assemblée nationale allemande" de 1848 l'unité allemande.

Die Paulskirche, 1948 aus Spenden der ganzen Nation wieder aufgebaut, dient seither als Forum für Versammlungen und Ausstellungen. Hier werden der Goethepreis der Stadt Frankfurt und der Friedenspreis des Deutschen Buchhandels verliehen.

The Paulskirche, rebuilt in 1948 out of funds donated by the whole nation, now serves as a forum for assemblies and exhibitions. This is where the Goethe Prize of the City of Frankfurt and the Peace Prize of the German Book Trade are awarded.

La Paulskirche, reconstruida en 1948 con donaciones de todo el país, es hoy el Foro de Asambleas y Exposisiones. Aquí se entregan el Premio Goethe de la ciudad de Frankfurt y el Premio de la Paz, creado por las librerías alemanas.

La Paulskirche, reconstruite en 1948 grâce à des dons de toute la nation, sert de forum à des réunions et des expositions. Ici sont remis le Prix Goethe de la ville de Francfort et le Prix de la paix du commerce du livre allemand.

Frankfurt, Mittelpunkt der deutschen Wirtschaft, demonstriert seine Größe durch die gigantischen Wolkenkratzer des Bankenviertels.

Frankfurt, focal point of the German economy, demonstrates its importance through the gigantic skyscrapers of its banking quarter.

Frankfurt, centro de la Economía alemana, muestra su esplendor en sus
gigantescos rascacielos del barrio de
los bancos.

Francfort, centre de l'économie allemande, manifeste son importance par
les immenses gratte-ciel du quartier
des banques.

40

„Tag der offenen Tür" und „Mainfest" sind beliebte Volksfeste.

"Tag der offenen Tür" and "Mainfest" are popular public festivals.

"Tag der offenen Tür" y "Mainfest", fiestas populares predilectas.

Fêtes populaires: «Jour des portes ouvertes» et «Fête du Main».

42

Die St. Leonhardskirche am Mainkai   Karmeliterkloster: Kreuzgang ▷
St. Leonhard's at Mainkai   Carmelite Monastery: cloisters
St. Leonhardskirche en el Mainkai   Convento de Carmelitas: claustro
La St. Leonhardskirche sur «Mainkai»   Couvent des carmélites: cloître

Portal der ehemaligen Residenz des Reichspostmeisters Thurn und Taxis. Portico of former residence of the Imperial Postmaster, Thurn und Taxis.

Portal de la (vieja) residencia del Ministro de Correos Thurn y Taxis. Portail de l'ancienne résidence du maître de poste Thurn und Taxis.

Das Geburtshaus von Johann Wolfgang Goethe am Großen Hirschgraben.
Birthplace of Johann Wolfgang Goethe
at Grosser Hirschgraben.

Casa natal de Johann Wolfgang Goethe
en Grossen Hirschgraben.
Maison natale de Johann Wolfgang
Goethe, Großer Hirschgraben.

Goethes Arbeitszimmer	Haus der „Bank für Gemeinwirtschaft" [
Goethe's study	The Bank für Gemeinwirtschaft
Cuarto de trabajo de Goethe	Sede del "Bank für Gemeinwirtschaft"
Cabinet de travail de Goethe	Bâtiment de «Bank für Gemeinwirtschaft»

Oper, Schauspiel und Kammerspiele bilden die Städtischen Bühnen. Hier die gemeinsame Wandelhalle mit ihrer Wolkendekoration.

The Städtische Bühnen houses the Frankfurt opera and two theatres. Here, the central foyer with its cloud decorations.

Opera, Schauspiel y Kammerspiele son los escenarios municipales. Aquí, el vestíbulo común con su decoración de nubes.

Opéra, Théâtre et Petit Théâtre municipaux. Ici le foyer commun aux trois salles avec sa décoration de nuages.

Die Oper bietet glanzvolle Opern- und Ballettaufführungen.

The opera-house affords brilliant opera and ballet performances.

La Opera ofrece brillantes representaciones de ópera y ballett.

L'Opéra offre de brillants spectacles d'opéra et de ballet.

Das Schauspiel pflegt besonders modernes Sprechtheater.
The Schauspiel theatre is noted for its modern plays.

El Schauspiel cultiva especialmente teatro moderno.
Le Théâtre, particulièrement spécialisé dans le théâtre moderne.

Bahnhofsviertel: die Kaiserstraße
Near Central Station: Kaiserstrasse
Estación Central: la Kaiserstrasse
Quartier de la gare: Kaiserstraße

Bahnhofsviertel: Night Club-Reklame
Near Central Station: the bright lights
Estación Central: los Night Clubs
Quartier de la gare: Night-Club

Der 1888 vollendete Hauptbahnhof mit der großen Weltkugel auf seiner Mittelhalle. Am Platz der Republik ragt das City-Haus empor.

Frankfurt Central Station (completed 1888), with large globe on its main entrance hall. The "City-Haus" office block soars upwards at Platz der Republik.

La Estación Central, de 1888, con la gran esfera del mundo en su vestíbulo central. En la Platz der Republik destaca la City-Haus.

La gare principale, achevée en 1888, avec le grand globe dans le hall central. Sur la Place de la République, le building «City-Haus».

Seit die alten Stadtwälle 1806 bis 1813 in Grünanlagen umgewandelt wurden, schmiegen sich Parks um die City. Hier die Taunusanlage.

Since the old city walls were transformed into walks and gardens 1806–1813, parks surround the business area. Here the Taunusanlage.

Desde que se convirtió la muralla de 1806 a 1813 en jardines, los parques se ciñen a la City. Aquí, los jardines Taunusanlage.

Depuis qu'entre 1806 et 1813 les vieux remparts ont été transformés en espaces verts, des parcs entourent la city. Ici la Taunusanlage.

Wo seit alters viele Frankfurter Bankhäuser ihren Sitz haben, verleihen die Großbanken der City heute einen Hauch von Manhattan.

In that part of Frankfurt where the banks have always had their head offices, there is now a touch of Manhattan.

En la zona donde muchos bancos de Frankfurt suelen tener su sede, la City adquiere un cierto aire de Manhattan.

Où depuis toujours beaucoup de banques francfortoises ont leur siège, les grandes banques donnent aujourd'hui à la city un air de Manhattan.

Idylle und Verkehrswirbel liegen in Frankfurt oft hart nebeneinander. Wie hier, wo sich hinter Blumenbeeten der Platz an der Hauptwache verbirgt. Das Mansardendach der Wache ragt neben der Katharinenkirche auf.

Idyllic corners and streets full of traffic often lie side by side in Frankfurt. As here for instance, where beyond the flower beds one of the busiest parts of Frankfurt can be found: the Hauptwache square. The roof of the old watch-tower appears next to the Katharinenkirche.

Rincones idílicos se intercalan en el tráfico arrollador de Frankfurt. Como aquí, donde las plantas y flores ocultan el punto de más tránsito de la City: la plaza de la Hauptwache. El tejado de mansardas de este edificio destaca junto a la Katharinenkirche.

Idylle et trépidante circulation coexistent souvent à Francfort. Comme ici où les parterres de fleurs cachent une des places les plus animées de la city: Platz an der Hauptwache. A côte du toit en mansarde de la Wache, la Katharinenkirche.

Unter der Hauptwache eine Fußgängerzone und die U- und S-Bahn.
Beneath the Hauptwache, a pedestrian zone and the Underground railway.

Bajo la Hauptwache, una zona peatonal y las estaciones de metro.
Sous la Hauptwache une zone pietonnière et le métropolitain.

Blick auf die Hauptwache und Frankfurts protestantische Hauptkirche, die Katharinenkirche. Rechts die breite Einkaufsstraße Zeil.

View of the Hauptwache and Frankfurt's Protestant church, St. Catherine's. Right, the Zeil, the main shopping street of the city.

Vista de la Hauptwache y la Katharinenkirche, iglesia protestante principal. A la derecha, la avenida comercial Zeil.

Vue sur la Hauptwache et sur le temple protestant principal de Francfort, la Katharinenkirche. A droite la large rue commerçante Zeil.

Das Gutenbergdenkmal von 1858 auf dem Roßmarkt.

El monumento a Gutenberg de 1858, en el Rossmarkt.

The Gutenberg Memorial (erected 1858) at Rossmarkt.

La statue de Gutenberg de 1858 sur le Roßmarkt.

Die Zeil ist die umsatzstärkste Meile der Bundesrepublik.
The Zeil is the busiest shopping street in West Germany.

La avenida Zeil es la milla de más ventas de la República Federal.
La Zeil, axe commercial le plus important en République Fédérale.

Liebfrauenkirche. Unten die „Staufen-mauer", erste Stadtmauer aus dem 12. Jahrhundert. Rechts der Eschenheimer Turm von Anno 1428.

The Liebfrauenkirche. Below, the "Staufenmauer", the first city wall from the 12th century. Right, the Eschenheim Tower from 1428.

Liebfrauenkirche. Abajo, la "Staufen-mauer", primera muralla del siglo XII. Derecha: Eschenheimer Turm construida el año 1428.

Notre-Dame. En bas le «Staufen-mauer», première enceinte de la ville datant du 12^{e}s. A droite la tour Eschen-heim de 1428.

Einer der wichtigsten Wirtschaftsbarometer der Welt ist die Frankfurter Börse, ihre Tradition reicht bis 1585 zurück. In dem Neorenaissancebau von 1879 befindet sich auch die Devisenbörse, wo die Bundesbank täglich die Auslandskurse reguliert.

One of the world's major economic barometers is the Frankfurt Stock Exchange which dates back to 1585. The foreign exchange market, where the Federal Bank daily regulates foreign currency rates, was built in Neo-Renaissance style in 1879.

Un importante barómetro de la Economía mundial es la Bolsa de Frankfurt; su tradición se remonta a 1585. Desde el edificio neorrenacentista de 1879, la Bolsa de divisas, el Banco Federal regula cada día el cambio de moneda.

Un des plus importants baromètres économiques du monde: la Bourse, dont la tradition remonte à 1585. Dans le bâtiment néo-renaissance de 1879 se trouve aussi la bourse des devises où la Bundesbank règle quotidiennement les cours extérieurs.

Der Saal der Wertpapierbörse
Interior of Stock Exchange
La sala de la Bolsa de valores
La salle de la Bourse des valeurs

Hektik in der Devisenbörse ▷
Hectic dealings in foreign exchange
Trajín en la Bolsa de divisas
Fébrile activité: Bourse des devises

Am Miquelpark in Ginnheim haben die Währungshüter der Bundesrepublik ihr Domizil. In der Deutschen Bundesbank sind gut 2000 Mitarbeiter beschäftigt mit der Ausgabe der Banknoten, Regelung des Geldumlaufes und der Kreditversorgung der Wirtschaft.

The monetary guardians of the Federal Republic have their head office at Miquel Park. Some 2,000 people are employed with the German Federal Bank issuing bank notes, controlling the circulation of money and supplying credit to industry.

En el Miquelpark, en Ginnheim, tienen su domicilio los guardianes de la moneda de la República. En el Banco Federal Alemán trabajan más de 2.000 personas en la emisión de moneda, regulación fiduciaria y aprovisionamiento de créditos para la Economía.

Au parc Miquel les gardiens de la monnaie en République Fédérale ont leur domicile. 2.000 employés de la Deutsche Bundesbank veillent à l'émission des billets, à la circulation monétaire et à la distribution de crédits à l'économie.

Wo Geld ist, frönt man auch gern leiblichen Genüssen. Die Große Bockenheimer Straße, genannt Freßgass, ist dafür beredtes Beispiel.

Where there's money, one indulges in wining and dining. The Grosse Bockenheimer Strasse, nicknamed the "Fressgass", is an example.

Donde hay dinero se goza de la vida. La Grosse Bockenheimer Strasse, llamada "callejón de comilonas", es un buen ejemplo de ello.

L'argent permet aussi de s'adonner aux plaisirs de la vie. En témoigne la Große Bockenheimer Straße, surnommée la rue des gloutons.

Freßgass: Zu Frankfurts Superlativen paßt auch das längste Brot der Welt. "Fressgass": the longest loaf in the world is just another Frankfurt superlative.

"Callejón de comilonas"; otro superlativo: el pan más largo del mundo. «Rue des gloutons»: un des records francfortois, le plus long pain du monde.

In der Kleinen Bockenheimer Straße feiert der Jazz fröhliche Urständ.
Jazz is at home in the Kleine Bockenheimer Straße.

La Kleine Bockenheimer Strasse es el paraîso del Jazz.
Joyeux concert de jazz dans la Kleine Bockenheimer Straße.

Die Alte Oper, Frankfurts schönste Ruine, ist im Wiederaufbau.

The old opera-house, Frankfurt's "finest ruin", is being rebuilt.

La vieja Opera, la ruina más bella de Frankfurt, en reconstrucción.

Le Vieil Opéra, plus belle ruine de Francfort, est en reconstruction.

Die Sachsenhäuser Warte von 1471, einst ein Frankfurter Vorposten.

The Sachsenhausen Watch-Tower (1471), once a Frankfurt outpost.

La Sachsenhäuser Warte de 1471, antiguo vigía de Frankfurt.

La Sachsenhäuser Warte de 1471, jadis avant-poste de Francfort.

„Zwiebel und Spargel": Russ. Orthodoxe Kirche und Fernmeldeturm.
"Onions and asparagus": Russian Orthodox church and Post Office Tower.

Iglesia Ortodoxa rusa y torre de Telecomunicación.
«Bulbe et asperge»: église russe orthodoxe et tour de télécommunication.

Auch die Bockenheimer Warte (1434) war ein Turm zum Ausspähen.
The Bockenheim Watch-Tower (1434) was also a look-out post.

También la Bockenheimer Warte (1434) fue torre de vigilancia.
La Bockenheimer Warte (1434) était aussi une tour de guet.

Haupteingang der Johann-Wolfgang-Goethe-Universität.
Main entrance to the Johann Wolfgang Goethe University.

Entrada principal de la Universidad Johann Wolfgang Goethe.
Entrée principale de l'Université Johann-Wolfgang Goethe.

Frankfurt exotisch: Der Palmengarten, eine Oase von 22 Hektar inmitten des Großstadtverkehrs, gehört zu den berühmten Botanischen Gärten der Welt. Besondere Attraktionen sind die tropischen und subtropischen Pflanzen.

Exotic Frankfurt: the Palmengarten, a 54-acre oasis in the middle of a busy city, is one of the world's famous botanical gardens. Its tropical and sub-tropical plants are one of the main attractions.

Frankfurt exótico: el Jardín de Palmeras, un oasis de 22 hectáreas en medio del tránsito de la gran ciudad, es uno de los más famosos jardines botánicos del mundo. Sus principales atractivos son las plantas tropicales y subtropicales.

Francfort exotique: le Palmengarten, oasis de 22 ha. au centre de la ville est un des plus célèbres jardins botaniques du monde. Les plantes tropicales et subtropicales en sont une des principales attractions.

Die Deutsche Bibliothek
The Deutsche Bibliothek
La Biblioteca alemana
La Bibliothèque allemande

Frankfurt Plaza am Messegelände ▷
Frankfurt Plaza near the fair grounds
"Frankfurt Plaza" cerca de la Feria
Frankfurt Plaza sur le terrain de la foire

Das Natur-Museum Senckenberg, Europas modernstes naturhistorisches Museum, ist populär durch seine Sammlung vorzeitlicher Großtiere.

The Senckenberg Natural Museum, Europe's most modern natural history museum, is popular because of its collections of prehistoric animals.

El Museo Natural Senckenberg, el más moderno de Europa de Historia Natural, tiene una famosa colección de animales antidiluvianos.

Le musée Senckenberg, musée d'histoire naturelle le plus moderne d'Europe, connu pour sa collection d'animaux préhistoriques.

„Hier steht den Schätzen der Welt weit geöffnet der Markt", sagte 1510 Ulrich von Hutten. Heute kommen zu den Frankfurter Messen jährlich eine Million Besucher, so daß für die Übernachtungen auch Hotelschiffe eingesetzt werden müssen.

"Here the market is wide open for the treasures of the world", said Ulrich von Hutten in 1510. Today, Frankfurt's fairs and exhibitions attract over 1 million visitors so that even floating hotels on the Main have to be mobilised for overnight stays.

"Aquí está abierto de par en par el mercado a los tesoros del mundo", dijo en 1510 Ulrich von Hutten. Hoy acuden a las Ferias de Frankfurt más de un millón de visitantes, lo que obliga a utilizar para las pernoctaciones barcos-hotel.

«Ici le marché est grand ouvert aux trésors du monde» dit en 1510 Ulrich von Hutten. Aujourd'hui un million de visiteurs par an se rend aux foires de Francfort, si bien qu'on doit utiliser aussi des bateaux-hôtels pour loger tout le monde.

Im Herbst findet immer die Buchmesse statt, alle zwei Jahre die Internationale Automobilausstellung und stets im April die Pelzmesse.

Autumn is the time of the Book Fair and, every two years, the International Car Show: the Fur Fair takes place in April.

En Otoño se celebra la Feria del Libro; cada dos años, la Feria Internacional del Automóvil y cada Abril la Feria de Peletería.

Chaque automne a lieu la Foire du livre, tous les deux ans le Salon international de l'automobile et en avril la Foire de la fourrure.

Die Internationalen Messen im Februar/März und September machen Frankfurt zu einem der bedeutendsten Messeplätze der Welt.

The international fairs held in February/March and September make Frankfurt one of the world's major exhibition centres.

Las Ferias Internacionales de Febrero/ Marzo y Setiembre hacen de Frankfurt la más importante plaza de Ferias del mundo.

Les foires internationales en février/ mars et septembre font de Francfort un des plus importants centres de foires du monde.

Der westliche Stadtteil Höchst mit seinem malerischen Marktplatz. Die Jahrhunderthalle der Hoechst AG.: seit 1963 ein kultureller Treffpunkt.

Höchst, a district in West Frankfurt, has a picturesque market-square. The Jahrhundert Hall of Hoechst AG: since 1963, a cultural centre.

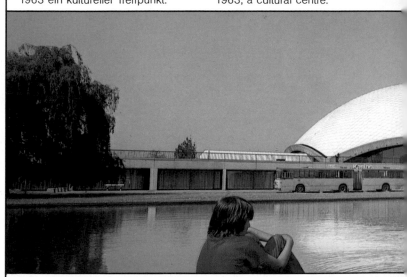

El distrito al Oeste Höchst, con su pintoresca plaza. La Jahrhunderthalle de la empresa Hoechst AG: desde 1963 centro cultural.

A l'Ouest le quartier Höchst avec sa pittoresque place. La grande salle «Jahrhunderthalle» de la Société Hoechst: depuis 1963 centre culturel.

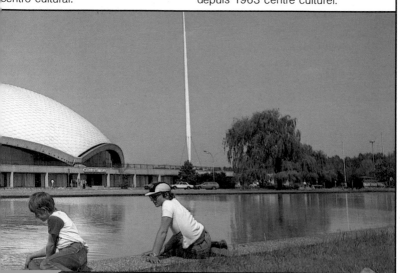

In Höchst, das seit 1928 zu Frankfurt gehört, sind sehenswert der Bolongaro-Palast von 1775 und das Schloß mit seinem Bergfried.

Höchst has formed part of Frankfurt since 1928. Places of interest are the Bolongaro Palace (b. 1775) and the castle with its main tower.

En Höchst, desde 1928 incorporado a Frankfurt, vale la pena ver el Palacio Bolongaro, de 1775, y el Castillo con su muralla.

Höchst, rattaché à Francfort depuis 1928; il faut voir le Palais Bolongaro de 1775 et le château avec son donjon.

Im Raum Rhein-Main hat die chemische Industrie eine Führungsrolle.
The chemical industry plays a leading role in the Rhine/Main region.

En la zona Rhin-Main la industria química es la más importante.
Dans la région Rhin-Main l'industrie chimique joue un rôle dominant.

Am Frankfurter Kreuz, dem Schnittpunkt der Autobahnen Hamburg–Basel und Köln–München, rotiert die große Drehscheibe in alle Welt: der Flughafen Frankfurt. Starts und Landungen der Jets sind hier am laufenden Band zu beobachten.

Near Frankfurter Kreuz, the huge junction where the motorways from Hamburg to Basle and Cologne to Munich intersect, Frankfurt Airport is a veritable hub of international air traffic. Jets land or take off here every minute.

En la cruz de Frankfurt, cruce de las autopistas Hamburgo–Basilea y Colonia–Munich, el aeropuerto de Frankfurt sigue todos los rumbos de la rosa de los vientos. Continuamente se observan los despegues y aterrizajes de los reactores.

Au Frankfurter Kreuz, carrefour des autoroutes Hambourg–Bâle et Cologne–Munich, une plaque tournante vers tous les points du monde: l'aéroport. On peut constamment voir décoller et atterrir de gros avions.

Das Waldstadion im Stadtwald
The Waldstadion of Frankfurt F.C.
El Waldstadion en Stadtwald
Waldstadion dans la Forêt urbaine

Nostalgie nach Noten ▷
Nostalgic sound
Nostalgia musical
Nostalgie musicale

Immer am Dienstag nach Pfingsten strömen Tausende von Frankfurtern in den Stadtwald, um ihren traditionellen „Wäldchestag" zu feiern.

On the Tuesday after Whitsun, thousands of Frankfurters pour into the Stadtwald to celebrate their traditional "Wäldchestag".

Cada Martes de Pentecostés miles de frankfurteses acuden al Stadtwald, para celebrar el tradicional "Wäldchestag".

Le mardi après Pentecôte des milliers de Francfortois se rendent dans la Forêt urbaine pour fêter le traditionnel «Wäldchestag».

Der Stadtwald, Frankfurts grüne Lunge, gilt als der größte Wald im Besitz einer deutschen Stadt. Nahe der City lädt er zum Wandern, Reiten, Radeln, Schwimmen, Tennis und sonstigen Sportarten ein. Ein ideales Erholungsgebiet für Großstädter.

The Stadtwald, Frankfurt's "green lung", is one of the largest municipally owned forests in Germany. Not far from the centre, it affords possibilities for long walks, riding, tobogganing, swimming, tennis and other sports. An ideal place of relaxation for city dwellers.

El Stadtwald, pulmón verde de Frankfurt, es el mayor bosque propiedad de una ciudad alemana. Cerca de la City, invita a pasear, cabalgar, ir en bicicleta, nadar, jugar al tenis y a practicar otros deportes. Una zona ideal de esparcimiento de la gran ciudad.

Le «Stadtwald», poumon de Francfort, est la plus grande forêt que possède une ville allemande. Près de la city, on peut y faire des promenades, du cheval, du vélo, du tennis, de la natation et d'autres sports. Lieu idéal de détente pour des citadins.

Niederrad, das Mekka der Frankfurter Pferdesportfreunde. Wie in Baden-Baden wird der Kurs gegen den Uhrzeigersinn gelaufen.

Niederrad, Mecca for Frankfurt racegoers. As in Baden-Baden, competitors ride in an anti-clockwise direction.

Niederrad, la meca de la hípica en Frankfurt. Como en Baden-Baden, se corre aquí en sentido contrario a las agujas del reloj.

Niederrad, paradis des turfistes. Comme à Baden-Baden la piste est parcourue en sens inverse des aiguilles d'une montre.

Das Liebieg-Haus am Schaumainkai birgt die Städtische Skulpturensammlung: über 2000 bedeutende Bildhauerwerke aller Epochen.

Liebieg House at Schaumainkai contains the Municipal Sculpture Collection: over 2,000 important works from all ages.

La Liebieg-Haus, en el Schaumainkai, contiene la colección de escultura municipal: más de 2000 importantes obras de todas las épocas.

La Liebieg-Haus abrite la collection municipale de sculptures: plus de 2000 importantes œuvres de toutes les époques.

◁ Jazz im „Städel"
Jazz in the "Städel"
Jazz en "Städel"
Jazz au «Städel»

Das Städelsche Kunstinstitut, 1815 gestiftet von dem Frankfurter Bankier Joh. Friedr. Städel (1728–1816), gehört zur Creme europäischer Galerien. Fast alle Kunstepochen sind durch hervorragende Werke vertreten.

The Städelsche Institute of Art, donated by the Franfurt banker Johann Friedrich Städel (1728–1816), is one of the best galleries in Europe. Virtually all periods of art are represented by outstanding works.

El Städelsche Kunstinstitut, fundado en 1815 por el banquero frankfurtés Städel (1728–1816), figura entre las primeras Galerías de Europa. Casi todas las épocas del Arte están representadas aquí, a traves de magníficas obras.

Le Städelsche Kunstinstitut, fondé par le banquier francfortois Joh. Friedr. Städel (1728–1816) est une des premières galeries d'art d'Europe. Presque toutes les époques y sont représentées par des œuvres remarquables.

Städelsches Kunstinstitut: Tischbeins Goethe in der Campagna.
The Städelsches Art Institute: Tischbein's Goethe in Campagna.

Städelsches Kunstinstitut: "Goethe en la Campagna" de Tischbein.
Städelsches Kunstinstitut: Goethe en Campanie de Tischbein.

Museum für Vor- und Frühgeschichte: Funde aus Frankfurts Vorzeit.
Museum of Pre- and Early History: discoveries from Frankfurt of old.

Museo de Prehistoria: hallazgos del viejo Frankfurt.
Musée préhistorique: vestiges du vieux Francfort.

Das Museum für Kunstgewerbe bietet besonders Kunst des 18. Jahrhunderts.
The Museum of Arts and Crafts contains collections of 18th century art.

El Museo de Artesanía ofrece sobre todo Arte del siglo XVIII.
Le Musée des arts décoratifs, riche en œuvres du 18e siècle.

Das Historische Museum präsentiert Vergangenheit und Gegenwart.
The History Museum presents past and present.

El Museo Histório muestra el pasado y el presente.
Le Musée historique présente le passé et le présent.

Der Westhafen mit dem Kraftwerk. Frankfurt hat mit den Häfen der Großunternehmen sieben Häfen. Der Jahresumschlag ist 6,5 Mio. to.

Westhafen with power station. Frankfurt has 7 ports including those of major concerns. The annual cargo volume amounts to 6.5 mill. tons.

El Westhafen con la central eléctrica, uno de los siete puertos, incluidos los de grandes firmas. Movimiento anual: 6,5 mill. ton.

Le port ouest avec la centrale électrique. Francfort compte en tout sept ports. Le trafic annuel s'élève à 6,5 millions de tonnes.

Aus dem „Bembel" fließt in Sachsenhausen der beliebte Äppelwoi.
Äppelwoi (apple wine) flows freely in the pubs in Sachsenhausen.

Del "Bembel", el barril, mana en Sachsenhausen la apreciada sidra.
A Sachsenhausen le cidre coule du «Bembel».

„Dribb de Bach", in Sachsenhausens bunten Apfelweinschenken, links und rechts der Großen Rittergasse, lebt noch Frankfurts Gemütlichkeit.

"Dribb de Bach" (other side of the stream) in Sachsenhausen: cosy, old-fashioned pubs in the Grosse Ritterstrasse are always full of life.

'Dribb de Bach", en las alegres sidrerías de Sachsenhausen, a derecha e izquierda de la Grossen Rittergasse, reina aun la alegría.

Dans les tavernes animées de Sachsenhausen à droite et à gauche de la Große Ritterstraße, règne le bien-être francfortois.

Impressionen in Sachsenhausen, dem „Apfelweinzentrum der Welt".

Impressions of Sachsenhausen — the apple wine centre of the world.

Impresiones de Sachsenhausen, el "centro de la sidra del mundo".

Impressions à Sachsenhausen, «le centre mondial du cidre».

Samstags findet am Mainufer Europas größter Flohmarkt statt.
Europe's biggest flea market takes place every Saturday beside the Main.

Los domingos revive a orillas del Main el mayor "rastro" de Europa.
La samedi a lieu le plus grand marché aux puces d'Europe.

Sehr populär: Europas bestbesuchter Zoologischer Garten.

Very popular: the zoo which attracts the greatest number of visitors in Europe.

Muy popular: el Parque Zoológico más visitado de Europa.

Très populaire: le Parc zoologique le plus visité d'Europe.

Hauptfriedhof: Schopenhauers Grab Das Holzhausenschlößchen
Main Cemetery: Schopenhauer's grave Holzhausen Schloß
Cementerio Central: Schopenhauer El palacete Holzhausen
Cimetière central: Schopenhauer Le château Holzhausen

◁ Blick über Sachsenhausen auf das Häusermeer der Mainmetropole und den blauen Höhenzug des nahen Taunus mit seiner höchsten Erhebung, dem Großen Feldberg (878 m): Frankfurts Hausberg.

Panoramic view of Franfurt looking across Sachsenhausen. In the distance, the bluish range of the Taunus Mountains with the highest point, the Grosser Feldberg (878 m).

Panorámica del mar de edificios de la metrópoli del Main con Sachsenhausen y la cadena azul de montañas del cercano Taunus y su cúspide: el Grossen Feldberg (878 m.), el monte familiar de Frankfurt.

Vue au-delà de Sachsenhausen sur la mer de maisons de la métropole et sur la chaîne bleuâtre du Taunus voisin avec son sommet le plus élevé, le Großer Feldberg (878 m.).

Der Taunus ist auch ein Paradies für Roß und Reiter.

The Taunus is also a paradise for horse and rider.

También el Taunus es un paraíso para la equitación.

Le Taunus est également un paradis pour les cavaliers.

Festspiele in Königstein und der Hessenpark bei Neu-Ansbach (unten).
Drama festival in Königstein and Hessen Park near Neu-Ansbach (below).

Festivales de Königstein y el Hessenpark en Neu-Ansbach (abajo).
Festival à Königstein et le Hessenpark à Neu-Ansbach (en bas).

Großer Feldberg: Winterparadies und Nebelstimmung im November.
Grosser Feldberg: winter paradise and typical November mood.

Grosser Feldberg: paraiso invernal y ambiente de Noviembre neblinoso.
Großer Feldberg: Paradis hivernal et brouillards de novembre.

In der Buchreihe „Deutsche Städte auf einen Blick" des Verlages DAS TOPOGRAPHIKON, Hamburg, sind bisher erschienen mit jeweils 120 Farbfotos und viersprachigen Texten auf 160 Seiten im handlichen Format von 17 × 12 cm (wie „Frankfurt auf einen Blick"):

Bender/Müller **Hamburg auf einen Blick**
120 Farbfotos, viersprachige Texte, 160 Seiten im Format 17 × 12 cm. ISBN 3-920953-14-2

Müller/Faerber **Stuttgart auf einen Blick**
120 Farbfotos, viersprachige Texte, 160 Seiten im Format 17 × 12 cm. ISBN 3-920953-15-0

Hetz/Strobl **München auf einen Blick**
120 Farbfotos, viersprachige Texte, 160 Seiten, im Format 17 × 12 cm. ISBN 3-920953-16-9

Die Buchreihe wird fortgesetzt.